Samiira iyo Ciiddii

Samira's Eid

Nasreen Aktar
Illustrated by Enebor Attard

Somali translation by Adam Jama

Mantra Lingua

Waxay ahayd waqti Ramadaan ah oo dadkoo dhami soomanaa, carruurtuna kaadhadh ayay samaynayeen.

"Kan waxaa leh Ayeeyo oo Isbitaalka ku jirta," ayay tidhi Samiira intay buqshaddii xidhay.

"Ma bogsan doontaa?" ayuu Xasan waydiiyay.

"Haa, laakiin Ciiddu ma dhamaystirra hadday maqantahay."

It was during Ramadan, when everybody was fasting, that the children were busy making cards.

"This one's for Nani in hospital," said Samira, closing the envelope.

"Will she get better?" asked Hassan.

"Yes, but Eid won't be the same without her."

Markaasaa hooyo soo gashay. "Ogaada berri waa soomaysaane," ayay tidhi.
"Miyay dhib badan tahay?" ayuu Xasan waydiiyay.
"Maya, laakiin waa daalaysaan. Ee ordaya oo seexda imika," ayay hooyo ku jawaabtay.

Just then, Mum walked in. "Remember you're fasting tomorrow," she said.
"Will it hurt?" asked Hassan.
"No, but you will feel tired. So go to sleep quickly now," answered Mum.

Subaxdii ayaa intaan qorraxdu soo bixin Samiira iyo Xasan suxuurteen.
"Haye wax cuna! Waqti dheer baa qatanaanaysaane,"
Hooyaa xasuusisay

The next morning, before sunrise, Samira and Hassan had their breakfast.
"Eat up! It's a long time till dinner," Mum reminded them.

Laakiin xilligii qadada ayuu Xasan cabasho joojin kariwaayay,
"Aad baan u gaajoonayaa. Waxaan rabaa saanbuuse."
"Amba waan gaajoonayaa, laakiin balka warran dadka kale oo
dhan ee sooman sideenna," ayay tidhii Samiira.

But by lunch time, Hassan couldn't stop himself complaining,
"I'm sooo hungry. I want a samosa."
"I'm hungry too, but think of all the people who are fasting
just like us," said Samira.

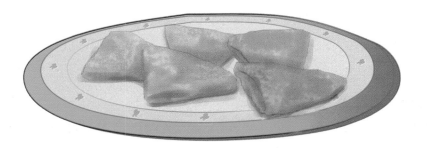

"Waxaad kaloo ka fekertaa dadka maalintii oodhan marka qudha wax cuna," ayay tidhi hooyo intay Xasan gacanta kusoo qabatay.

"Sidaa ma jecli," ayuu Xasan yidhi.

"Haddaa ma iyagaa jecel sidaa," ayay tidhi Samiira. "Sababtaas awgeed ayaynu u bixinnaa sakada."

"And think of all the people who can only have one meal a day," said Mum, putting her arm around Hassan.

"I wouldn't like that," said Hassan.

"Well, they don't like it either," said Samira. "That's why we give zakat."

Immikana waxaa lagaadhay xilligii wax la cuni lahaa, hooyana cuntaday jeclaayeen ayay samasay.

"Aabbe, waannu samaynay! Sidiinnoo kale ayaanu u soonnay," ayay tidhi Samiira.

"Waan garanaayay inaa soomi kartaan," Aabbaa yidhi intuu qoslay.

"Balka warrama?"

"Waannu gaajoonannaa," ayay yidhaahdeen.

At last it was time for dinner, and Mum had prepared their favourite food.

"Dad, we did it! We fasted just like you," said Samira.

"I knew you could do it," said Dad, smiling. "How do you feel?"

"Hungry," they groaned.

Habeenkii ciiddu soo galaysay ayaa raadiyaha laga sheegay in bishii dhalatay. Markaasaa Samiiri qolka Xasan ku orodday si ay warka ugu sheegto.

The night before Eid, the radio announced the sighting of the new moon. Quickly Samira ran to Hassan's room to tell him the news.

"Bishii cusbayd ayaa hadda la arkay," ayay tidhi.
"Xaggee lagu arkay?" ayuu weydiiyay Xasan intuu daaqadda tegay.
"Dabcan, Maka ayaa lagu arkay, ee halkan maaha!"

"The new moon has just been seen," she said.
"Where?" asked Hassan, dashing to the window.
"In Mecca of course, not here!"

Very early, while everyone was still asleep, Samira and Hassan gazed
at the new moon, so thin and pale in the morning sky.
"Look Hassan, there it is," whispered Samira.
"Eid Mubarak, Samira," said Hassan.

Subaxnimadii intii dadkoo dhami hurdeen, ayaa Samiira iyo
Xasan eegeen dayaxa yar oo diillin oo kale ah, oo cirka subaxdii
ka muuqda.
"Alla eeg Xasan, waa taas," ayay tidhi Samiira.
"Ciid wanaagsan, Samiira," ayuu yidhi Xasan.

Qolkeedii ayay Samiira ku noqotay, markaasay aragtay dharkeedii cusbaa oo sariirta dulsaaran. Qunyar ayay qaadday shamiiskii iyo sarwaalkii (dharka baagistaanta) hooyadeed u samaysay. Tani waa ciid dhab ah ayay ku fekertay.

Back in her room, Samira saw her new clothes lying on the bed.
Gently she lifted the shalwar-kameez that her mum had made and held it up.
It really is Eid, she thought.

Markii dadkii oo dhami diyaargaroobeen ayaa masaajidka loo baxay.
"Ciid wanaagsan," ayay saaxiibadood ku yidhaahdeen intay sii
socdeen.
Markay masaajidkii galeen ayay tukadeen oo dhegaysteen Imaamkii.

When everyone was ready, the family left for the mosque.
"Eid Mubarak," they called out to their friends on the way.
Inside the mosque they prayed and listened to the Imam.

Debedda waxaa joogay dad badan oo faraxsan oo laabta isisaarsaaraya. Samiira ayaa marqudha aragtay Macalimaddeedii. "Eeg Xasan, waa Mrs Qaadir, way inagu soo socotaa."

Outside there were lots of people smiling and hugging each other. Suddenly, Samira saw her teacher. "Look Hassan, it's Mrs Qadir coming over here."

"Ciid wanaagsan Samiira iyo Xasan," ayay tidhi Mrs Qaadir intay hadiyad yar midba gacanta u gellisay.
"Mahadsanid," ayay yidhaahdeen. "Laakiin sidaad ku ogaatay in aannu halkan joognay?"
"Macallimiintu way ogyihiin waxyaabahaas oo kale," ayay ku jawaabtay iyadoo qoslaysay.

"Eid Mubarak, Samira and Hassan," said Mrs Qadir, placing a small present in their hands.
"Thank you," they said. "But how did you know that we'd be here?"
"Teachers know these things," replied Mrs Qadir, smiling.

"Waxaa laga yaabaa inuu boostada labaad lasocdo. Haye dhakhsada oo billaydhadan miiska saara," ayay tidhi Hooyo.
"Bal waxaan oo cunto ah eega," ayay tidhi Samiira. "Casuumad baa ka dhacday!"

When they arrived home they found a pile of Eid cards waiting to be opened. "Here's one from Aunty Yasmin, and this one's from Uncle Iqbal," said Samira. "But where *is* Nani's card?"

"Waxaa laga yaabaa inuu boostada labaad lasocdo. Haye dhakhsada oo billaydhadan miiska saara," ayay tidhi Hooyo.
"Bal waxaan oo cunto ah eega," ayay tidhi Samiira. "Casuumad baa ka dhacday!"

"Maybe it will come in the second post. Now hurry up and help me get these dishes onto the table," said Mum.
"Look at all that food," gasped Samira. "What a feast!"

Jelleskii albaabka ayaa marqudha joogsan waayay, waxaa iska daba yimi eeddooyin, adeerrayaal, saxiibbo iyo jaarkoodiiba. Waxa lays dhaafsaday hadyado, salaan, dhunkasho, qosol iyo laabta oo laysisaaro. Samiira iyo Xasanna way rumaysan kariwaayeen indhahoodii. "Kaalaya oo dhammaantiin soo fadhiista. Cuntadii waa diyaar," ayuu ku dhawaaqay Aabbe.

The door bell rang, again and again, as aunts and uncles, friends and neighbours arrived. There was hugging and kissing, laughter and presents. Samira and Hassan could hardly believe their eyes.
"Come and sit down everyone. The food is ready," announced Dad.

"Samiira kaalay oo halkan fadhiiso," ayuu yidhi Aabe.
"Laakiin kursiganiba waa bannaanyahay," ayay tidhi Samiira
intay tilmaantay kursiga keeda ku xigay. "Ma bannaanaan
doono," ayaa cod ay taqaannay yidhi.

"Samira, come and sit here," said Dad.
"But this chair's empty," said Samira, pointing to the chair next to her.
"Not for long," said a familiar voice.

"Ciid wanaagsan dhammaantiin," ayay tidhi Ayeeyo intay qososhay. "Samiira Isbitaalka ayaan ku aaminiwaayay inay kaadhadhka idinka soo gaadhsiiyaan. Markaa, maxaan kalee yeeli karaa inaan anigu soo qaadoo mooyee?"
Samiiraa qososhay. "Laakiin sidaad halkan usoo gaadhay?"

"Eid Mubarak everyone," said Nani, smiling. "Samira, I just couldn't trust that hospital to get the card to you on time. So what could I do but bring it myself."
Samira laughed. "But how did you get here?"

"Taasi waa sheeeko dheer, ee bal horta adigiyo Xasan intan hooya," ayay tidhi Ayeeyo.
Markay Samiira iyo Xasan fureen hadyaddoodii waxay ka heleen buug. Laakiin buug caadiya ma ahayn. Shucuurta wejigooda ka muuqatay ayaa qof walba ka qoslisay

"That is a long story, but first, a little something for you and Hassan," said Nani. When Samira and Hassan opened their present, they found a book inside. But this was no ordinary book, and the smiles on their faces made eveybody laugh.

Markii gabbalkii dhacay ayaa Samiira oo faraxsani, Ayeeyo dhinaca
kasoo gashay kursigii dheeraa.
"Ayeeyo, nooga sheekee sheekadaadii haddaba," Xasan baa weydiiyay.
"Haye, waxay ahayd waqti Ramadaan ah oo dadkoo dhami soomanaa,
carriuurtuna waxay sameeynayeen..."

By the end of the day, a happy Samira had curled up on the sofa next to Nani.
"Nani, tell us your story now," asked Hassan.
"Well, it was during Ramadan, when everybody was fasting, that the children were..."

Glossary

 Eid-ul Fitr

 Mosque

 Fasting

 Muslim

 Imam

 Ramadan

 Islam

 Shalwar Kameez

 Mecca

 Zakat

record   stop   play

Kosovo

Azerbaijan

Turkey

Tunisia

Syria

Lebanon

Iraq

Morocco

Jordan

Kuwait

Algeria

Libya

Egypt

Bahrain

Qatar

Saudi Arabia

Mauritania

Mali

Niger

Chad

Sudan

Eritrea

Yemen

Senegal

The Gambia

Burkina
Faso

Guinea

Nigeria

Djibouti

Somalia

Sierra
Leone

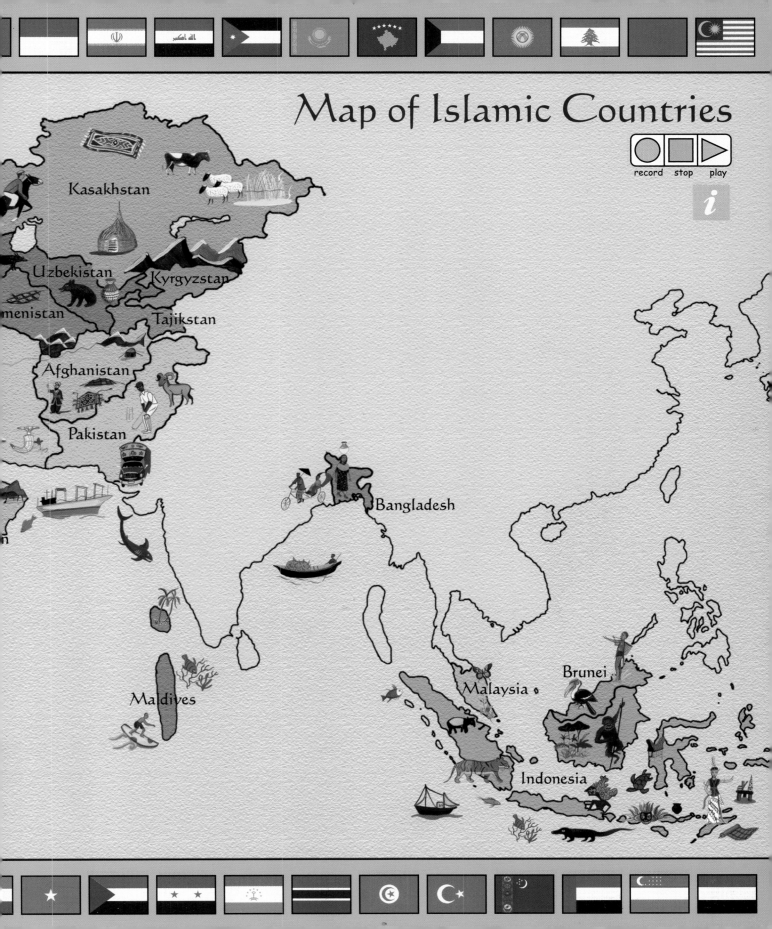

Map of Islamic Countries

record stop play

i

Kasakhstan

Uzbekistan

Kyrgyzstan

menistan

Tajikstan

Afghanistan

Pakistan

Bangladesh

Maldives

Malaysia

Brunei

Indonesia

Tessellations in Islamic Art

It is believed in many Islamic cultures that art should reflect the meaning and essence of life, rather than physical appearance, which is why people and animals are not represented in places of worship. Instead, Islamic art tends to feature abstract patterns from nature, tessellations and calligraphy. Tessellations are endless repeating shapes which fit together to form a pattern. Because they can go on forever, it is said that they can help people to meditate on the infinite nature of existence.

You can experiment with designs by putting shapes together in different ways.

Tessellations can be simple or very intricate. The examples below seem complicated but if you look closely you can see that they have been made up of a few simple shapes.

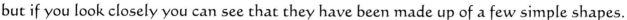

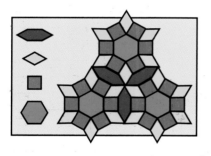
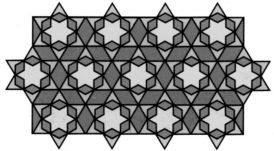
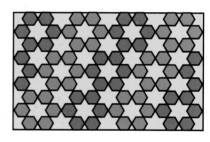

This pattern is just a series of hexagons, but because they overlap, diamonds and stars and other shapes are created. Within each of these smaller shapes, little designs have been drawn to make the pattern seem very intricate. Why not make your own pattern using this method.

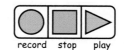
record   stop   play

Activities

Can you see these individual shapes in the patterns?

Trace over the shapes in the box lots of times and cut them out. Can you put them together in a pattern without leaving any gaps?

Making Eid Cards

At the beginning of the story, Samira and Hassan write cards to friends and relatives to wish them a Happy Eid. In return, they receive cards wishing them the very same. Eid cards are typically highly decorated and colourful. The more colour the better!

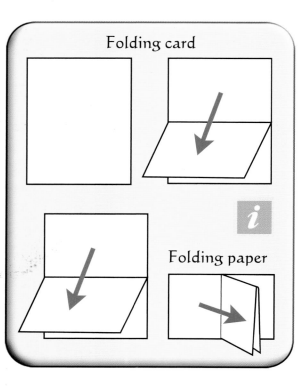

Folding card

i

Folding paper

Happy Eid

Eid mubarak

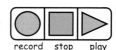

record   stop   play

Why not make your own Eid cards for your friends? Here are some examples that you can photocopy. You can colour them in and add your own designs and greetings.

Eid is celebrated all over the world. Below are some greetings in different languages that you can use in your card:

Eid Mubarak

Happy Eid
English

جێژنەتان پیرۆز
Kurdish

عید مبارک
Farsi

عيد مبارك
Arabic

عیدمبارک
Urdu

Ciid Wanaagsan
Somali

ঈদ মুবারক
Bengali

Tell your own Eid story

Eid Quiz!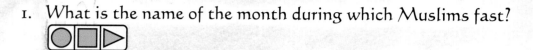

1. What is the name of the month during which Muslims fast?

2. What does it mean when the new moon is sighted?

3. For how long do Samira and Hassan fast?

4. What is zakat?

5. What did everyone go to the mosque to do?

6. What was the present that Nani gave to Samira and Hassan?

7. Why are tessellations commonly used in Islamic art and what do they represent?

8. Name five predominantly Islamic countries.

9. What greeting might you put on an Eid card?

10. What is the holiest place for Muslims?
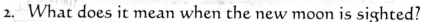

Traditional Food

Sfouf is a Lebanese sweet traditionally served with tea or milk. It is easy to make and delicious! Why not have a go?

Preparation time: about 10 minutes
Cooking time: 30-35 minutes
Oven temperature: 180° C (350° F)

Ingredients:

750 ml semolina   60 ml tahini (sesame paste)
560 ml sugar   1 teaspoon baking powder
500 ml milk   1 teaspoon turmeric
250 ml plain flour   125 ml pine nuts or almonds
250 ml vegetable oil

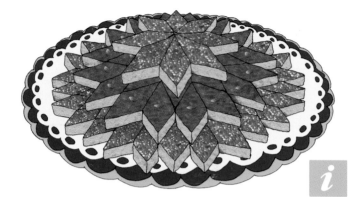

Method

1. Put the semolina, flour, turmeric and baking powder into a mixing bowl. Stir well to combine the ingredients.
2. Dissolve the sugar in the milk. Then add the milk, sugar and vegetable oil to the dry ingredients and stir.
3. If you like you can spread the tahini over the base and sides of a 40cm baking tray.
4. Slowly pour the batter into the tray. Sprinkle with pine nuts or slivers of almonds.
5. Place in a preheated oven at 180° C (350° F) and bake for 30-35 minutes or until the batter is golden brown.
6. Remove from the oven and cool for 15-20 minutes. Cut either into squares or diamond shapes.

Facts about samosas

Samosas are small triangles of filled pastry. It is believed that they originate from Central Asia, and spread far and wide because they were great for long journeys. Travellers could make them over camp fires and pack them into saddle bags for the day ahead. There are many different ways of making samosas - they can have all kinds of herbs, vegetables and spices. Here are some ingredients commonly used:

Vegetables: Potatoes, peas, onion, cabbage, pumpkin, mushrooms, tomatoes, cauliflower, carrot
Meat: Minced lamb, minced beef
Herbs and spices: Red & green chilli, ginger, coriander, garam masala, salt, pepper, fennel powder, cumin seeds, mustard seeds, garlic, cardamom, mint leaves
Other: Cashew nuts, paneer, raisins, mango powder
Pastry: Samosas are usually fried, but some people prefer to bake them as this is more healthy. Filo pastry is better for frying, and puff pastry is better for baking. There are many ways of folding the pastry. Here are a couple of examples:

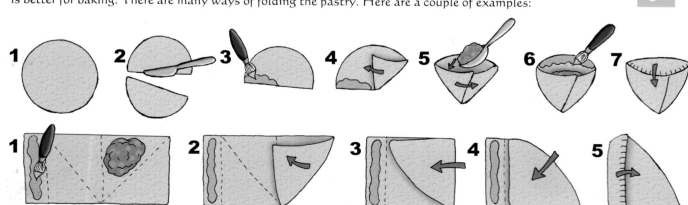